3-7 ANS

Les
canons
et comptines
des p'tits lascars

Sélection des chansons :
Yves Prual

Commentaires :
Françoise Tenier

Illustrations :
Andrée Prigent (couverture et pages 6, 12, 14, 24, 30)
Laetitia Le Saux (pages 10, 20, 22, 34, 44)
Clémence Pénicaud (pages 16, 28, 32, 38, 42)
Clémentine Sourdais (pages 8, 18, 26, 36, 40)

Didier *Jeunesse*

Sommaire

CD 1

Miaou, miaou

Miaou, miaou, la nuit dernière
J'entendais dans la gouttière
Le chat de notre portière

6

CD 2

Il était un petit chat

Il était un petit chat
Miaou, miaou
Il était un petit chat
Qui n'écoutait maman ni papa

Un jour dans sa tasse de lait
Miaou, miaou
Un jour dans sa tasse de lait
Il vit une mouche qui buvait

Le p'tit chat veut l'attraper…
Mais la mouche s'est mise à voler

Par la fenêtre elle vola…
Et le petit chat vite grimpa

Il tomba de très, très haut…
Heureusement dans un baquet d'eau

Il sortit tout frissonnant…
Maintenant il écoute sa maman

CD 3

Canonchalant

Ouvrir les yeux
Un puis deux, doucement
Sortir du lit petit à petit, prudemment
Un accident est si vite arrivé
Prenons notre temps

Paroles et musique : Pierre Amiot

Mon papa, il va au cinéma

Mon papa, il va au cinéma
Ma maman, elle y va pas souvent
Mon p'tit frère y est allé hier
Ma p'tite sœur, elle ira tout à l'heure

Si j'avais de l'argent, j'achèt'rais un bonnet blanc
Un bonnet américain, qui f'rait peur à tous les gens
Mon bonnet est malade, je l'emmène à l'hôpital
L'hôpital est fermé, mon bonnet s'est envolé
Point final !

Mon pa - pa, il va au ci-né-ma Ma ma - man, elle

y va pas sou - vent Mon p'tit frère y est al - lé hi-

-er Ma p'tite sœur, elle i - ra tout à l'heure Si j'a-

-vais de l'ar - gent, j'a-chè - t'rais un bon-net blanc Un bon-

-net a - mé - ri - cain, qui f'rait peur à tous les gens Mon bon-

-net est ma-lade, je l'em-mène à l'hô-pi - tal L'hô-pi - tal est fer-

-mé, mon bon - net s'est en - vo - lé Point fi - nal !

Bubble gum

CD 5

Ça fait des bulles et ça colle
Le bubble, le bubble
Et ça se mâche à l'école
Le bubble gum
Il en faut du savoir-faire
Pour bouger ses maxillaires
Bubble, bubble, bubble
Bubble gum

Ça fait des bulles et ça colle Le bub-ble, le bub-ble Et

Il en faut du sa-voir-faire

Bub - ble, bub - ble,

ça se mâche à l'é - cole Le bub-ble gum

Pour bou-ger ses ma-xil - laires

bub - ble Bub-ble gum

Paroles et musique : Jean-Yves Leduc

12

Vent frais, vent du matin

Vent frais, vent du matin
Vent qui souffle au sommet des grands pins
Joie du vent qui souffle
Allons dans le grand
Vent frais, vent du matin…

Vent frais, vent du ma - tin

Vent qui souffle au som-met des grands pins

Joie du vent qui souffle Al - lons dans le grand

13

Un grand cerf

CD 7

Dans sa maison un grand cerf
Regardait par la fenêtre
Un lapin venir à lui
Et frapper chez lui
Cerf! Cerf! Ouvre-moi
Ou le chasseur me tuera
Lapin, lapin, entre et viens
Me serrer la main

Dans sa mai-son un grand cerf Re-gar-dait par la fe-nê-tre Un la-pin ve-nir à lui

Et frap-per chez lui Cerf! Cerf! Ou-vre-moi Ou le chas-seur

me tue-ra La-pin, la-pin, entre et viens Me ser-rer la main

CD 8

Dans la forêt lointaine

Dans la forêt lointaine	Il répond au hibou
On entend le coucou	Coucou, coucou
Du haut de son grand chêne	On entend le coucou } *(bis)*

Dans la fo-rêt loin - tai - ne On en-tend le cou-cou Du

haut de son grand chê - ne Il ré - pond au hi - bou Cou-

cou, cou - cou On en - tend le cou - cou

15

Mon petit lapin

Mon petit lapin s'est sauvé dans le jardin
Cherchez-moi, coucou, coucou
Je suis caché sous un chou

Remuant son nez, il se moque du fermier
Cherchez-moi, coucou, coucou
Je suis caché sous un chou

Frisant ses moustaches, le fermier passe et repasse
Mais ne trouve rien du tout
Le lapin mange le chou

Mon pe - tit   la - pin   s'est sau - vé dans le jar - din Cher-chez-

- moi, cou - cou, cou - cou   Je suis   ca - ché sous un chou

Gens de la ville

Gens de la ville, qui ne dormez guère
Gens de la ville, qui ne dormez pas
C'est à cause des rats que vous, que vous ne dormez guère
C'est à cause des rats que vous, que vous ne dormez pas
C'est les rats, c'est les rats!

Gens de la vil - le, qui ne dor-mez guè - re Gens de la vil - le, qui ne dor-mez pas

C'est à cause des rats que vous, que vous ne dor-mez guè - re C'est à cause des rats que vous, que vous ne dor-mez pas

C'est les rats, C'est les rats!

Un pe - tit bon-homme au bout du che-min

Qui man - geait des pommes, a vu un la-pin

La - pin, la - pin, don - ne, don - ne - moi la main

Man-geons cet - te pom - me et so - yons co-pains

CD 11

Un petit bonhomme
au bout du chemin

Un petit bonhomme au bout du chemin
Qui mangeait des pommes, a vu un lapin
Lapin, lapin, donne, donne-moi la main
Mangeons cette pomme et soyons copains

Une souris verte

CD 12

Une souris verte qui courait dans l'herbe
Je l'attrape par la queue
Je la montre à ces messieurs
Ces messieurs me disent
Trempez-la dans l'huile, trempez-la dans l'eau
Ça fera un escargot tout chaud

Je la mets dans mon chapeau, elle me dit qu'il fait trop chaud
Je la mets dans ma chemise, elle me fait trois petites bises
Je la mets dans mon tiroir, elle me dit qu'il fait trop noir
Je la mets dans la casserole, elle danse le rock'n'roll
Je la mets dans ma chaussure, elle me dit ça pue trop dur
Je la mets sur ma moto, elle écoute la radio
Je la mets dans ma culotte, elle me fait trois petites crottes
Je la mets dans ma p'tite main, elle me fait un gros câlin

U - ne sou - ris ver - te qui cou-rait dans l'her - be
Je l'at - tra - pe par la queue Je la montre à ces mes-sieurs
Ces mes-sieurs me di - sent Trem-pez - la dans l'hui - le,
trem-pez-la dans l'eau Ça fe - ra un es-car - got tout chaud Je la
mets dans mon cha - peau, elle me dit qu'il fait trop chaud

Arlequin dans sa boutique

Arlequin dans sa boutique
Sur les marches du palais
Il enseigne la musique
À tous ses petits valets

Refrain :
Oui, Monsieur Po
Oui, Monsieur Li
Oui, Monsieur Chi
Oui, Monsieur Nelle
Oui, Monsieur Polichinelle

Il vend des bouts de réglisse
Meilleurs que votre bâton
Des bonshommes en pain d'épices
Moins bavards que vous, dit-on

Il a des pralines grosses
Bien plus grosses que le poing
Plus grosses que les deux bosses
Qui sont dans votre pourpoint

Il a de belles oranges
Pour les bons petits enfants
Et de si beaux portraits d'anges
Qu'on dirait qu'ils sont vivants

Il ne bat jamais sa femme
Ce n'est pas comme chez vous
Comme vous, il n'a pas l'âme
Aussi dure que des cailloux

Vous faites le diable à quatre
Mais pour calmer vot' courroux
Le diable viendra vous battre
Le diable est plus fort que vous

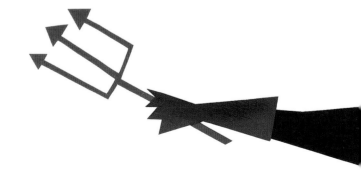

Où sont mes pe - tits sou - liers ?

Quel - qu'un me les a vo - lés

J'les a - vais mis au fond du pla - card

Ou bien peut - être au fond du ti - roir

D. C.

J'm'en sou - viens plus

Paroles et musique : Henri Dès

Où sont mes petits souliers ?

Où sont mes petits souliers ?
Quelqu'un me les a volés
J'les avais mis au fond du placard
Ou bien peut-être au fond du tiroir
J'm'en souviens plus

25

CD 15

Tic, tac

Tic, tac, tic, tac
Tic, tac, tique, tique, tac
Le temps qui passe et ne revient pas
Et tic et tac
Et tique, tique, tac

CD 16

Quelle heure est-il, madame Persil ?

Quelle heure est-il, madame Persil ?
Huit heures moins le quart, madame Placard !
En êtes-vous sûre, madame Chaussure ?
Assurément, madame Piment !

Au feu les pom-piers, la mai-son qui brû - le
la mai-son brû - - - lée

C'est pas moi qui l'ai brû-lée, c'est la can-ti - niè - re
c'est le can-ti - - - nier

Au feu les pompiers

Au feu les pompiers, la maison qui brûle
Au feu les pompiers, la maison brûlée

C'est pas moi qui l'ai brûlée, c'est la cantinière
C'est pas moi qui l'ai brûlée, c'est le cantinier

Au feu les pompiers, le p'tit bois qui brûle…
C'est pas moi qui l'ai brûlé, c'est la jardinière…
C'est pas moi qui l'ai brûlé, c'est le jardinier…

Au feu les pompiers, v'là l'église qui brûle…
C'est pas moi qui l'ai brûlée, c'est sœur Marinette
C'est pas moi qui l'ai brûlée, c'est monsieur l'curé

Au feu les pompiers, v'là mon chien qui brûle…
C'est pas moi qui l'ai brûlé, c'est mon oncle Jules
C'est pas moi qui l'ai brûlé, c'est mon oncle André

Au feu les pompiers, mon derrière qui brûle…
C'est pas moi qui l'ai brûlé, mon petit derrière
C'est pas moi qui l'ai brûlé, c'est mon p'tit pompier !

Paroles : Éric Noyer
Musique : Ricks Veenker

Calme, cool
Je ne vois rien qui soit suspect
J'peux continuer
Planquez-vous, dans ce coin-là j'ai vu bouger
C'est pas le moment de s'amuser
Approchons-nous tout doucement
Allons-y, que chacun reste
Calme, cool...

CD 18
L'Inspecteur
mène l'enquête

La famille Tortue

Jamais on n'a vu
Jamais on ne verra
La famille Tortue
Courir après les rats
Le papa Tortue
Et la maman Tortue
Et les enfants Tortue
Iront toujours au pas

Une poule sur un mur

Une poule sur un mur
Qui picote du pain dur
Picoti, picota
Lève la patte
Et puis s'en va

C'est la cloche du vieux manoir

C'est la cloche du vieux manoir, du vieux manoir
Qui sonne le retour du soir, le retour du soir
Ding, ding, dong !

DING, DING, DONG

C'est la clo-che du vieux ma-noir, du vieux ma-noir

Qui son-ne le re-tour du soir, le re-tour du soir

Ding, ding, dong ! Ding, ding, dong !

34

CD 22

1, 2, 3, je m'en vais au bois

1, 2, 3, je m'en vais au bois
4, 5, 6, cueillir des cerises
7, 8, 9, dans mon panier neuf
10, 11, 12, elles seront toutes rouges

1,   2,   3,   je   m'en   vais   au   bois
4,   5,   6,   cueil - lir   des   ce   - rises
7,   8,   9,   dans   mon   pa   - nier   neuf

10,   11,   12,   elles   se   - ront   toutes rouges

Frè - re   Jac - ques   Frè - re   Jac - ques   Dor - mez - vous?   Dor - mez - vous?

Son-nez les ma - ti - nes   Son-nez les ma - ti - nes   Ding, ding, dong!   Ding, ding, dong!

CD 23 **Frère Jacques**

Frère Jacques
Dormez-vous?
Sonnez les matines
Ding, ding, dong!

Are you sleeping
Brother John?
Morning bells are ringing
Ding, dang, dong!

Bruder Jakob
Schläfst du noch?
Hörst du nicht die Gloken?
Ding, dang, dong!

CD 24

Sur le plancher, une araignée

Sur le plancher, une araignée
Se tricotait des bottes
Dans un flacon, un limaçon
Enfilait sa culotte
J'ai vu dans le ciel, une mouche à miel
Pincer sa guitare
Un rat tout confus sonnait l'angélus
Au son d' la fanfare

Les clo - chettes de

mon pa - ys Font

ding, dong !

Ding, ding, dong !

CD 25

Les clochettes de mon pays

Les clochettes de mon pays
Font ding, dong !
Ding, ding, dong !

Ma doudou m'a dit

Ma doudou m'a dit t'es pas doué !
Oh, dis donc ! Tu t'es pas regardé !
O ba o, o ba
O ba ba o

41

Meunier, tu dors

Meunier, tu dors
Ton moulin va trop vite
Meunier, tu dors
Ton moulin va trop fort
Ton moulin, ton moulin va trop vite
Ton moulin, ton moulin va trop fort } *(bis)*

Meu - nier, tu dors Ton mou - lin va trop vi - te Meu - nier, tu dors Ton mou

lin va trop fort Ton mou - lin, ton mou - lin va trop vi - te

Ton mou - lin, ton mou - lin va trop fort Ton mou - lin, ton mou - lin va trop fort

Do, ré, mi, la perdrix

CD 28

Do, ré, mi, la perdrix
Mi, fa, sol, elle s'envole
Fa, mi, ré, dans un pré
Mi, ré, do, tombe dans l'eau

Do, ré, mi, la per - drix Mi, fa,

sol, elle s'en - vole Fa, mi, ré, dans un

pré Mi, ré, do, tombe dans l'eau Do, ré

CD 29

Yo ma yo masari

Yo ma yo masari
Irasa moya moya
Yo ma yo masari
Irasa moya mo

Yo ma yo ma-sa-ri   I-ra-sa mo-ya   mo-ya

Yo   ma yo   ma-sa-ri   I-ra-sa mo-ya   mo

Paroles et musique : Jos Wuystack

Cahier parents

Françoise Tenier

Pour prolonger votre écoute, en savoir plus sur les comptines et jouer avec votre enfant, vous trouverez dans ces pages des commentaires sur :

- L'origine des comptines et des variantes.
- Leur sens et leur rôle pédagogique.
- Les indications pour mimer et mettre en scène les comptines. N'hésitez pas à en inventer d'autres pour créer votre propre jeu !

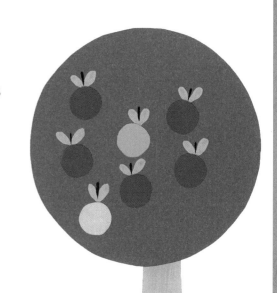

Les canons : une première approche ludique de la polyphonie

Les canons constituent souvent le premier contact que les enfants auront avec la polyphonie : une approche ludique qui ouvre leurs oreilles vers des formes musicales plus élaborées (comme la fugue). C'est aussi une activité qui leur apprend à écouter les autres pour une première initiation à la pratique du chant choral et de la musique d'ensemble.

Il existe des canons à deux voix (*Yo ma yo masarî*), trois voix (*Vent frais, vent du matin* ; *Gens de la ville* ; *Bubble gum*), quatre voix (*Frère Jacques*)... Plus il y a de voix, plus le chant choral est difficile à mettre en place.

Pour chanter un canon, il faut être plusieurs groupes de chanteurs (ou plusieurs solistes). Chacun répète plusieurs fois exactement la même chanson, mais décalée d'une ou deux phrases par rapport au groupe précédent. Ce décalage produit une superposition de mélodies, de notes et de rythmes qui doit être agréable à l'oreille. Toutes les chansons ne peuvent pas être chantées en canon.

Apprendre à chanter à plusieurs

Pour apprendre un canon, c'est simple : il suffit d'être méthodique...

D'abord, tout le monde apprend la chanson en entier, phrase par phrase, à l'unisson, et en respectant bien le rythme. C'est important de savoir la chanter par cœur et en entier pour ne pas s'emmêler ensuite, quand viendra le temps du canon. Puis, on divise le chœur en plusieurs groupes. Il y a autant de groupes que de voix. Prenons l'exemple de *Frère Jacques*.

Le premier groupe chante la première phrase : *Frère Jacques, frère Jacques*. Quand il commence la deuxième phrase : *Dormez-vous, dormez-vous ?*, le deuxième groupe démarre au début de la chanson. Puis c'est au tour du troisième groupe de rentrer sur : *Sonnez les matines, sonnez les matines*, et du quatrième sur *Ding, ding, dong !* Le premier groupe redémarre quand le quatrième a terminé. Pour terminer un canon, les voix peuvent s'arrêter successivement une fois que chacune a fini sa partie (*Dans la forêt lointaine* ; *C'est la cloche du vieux manoir*), ou chanter de plus en plus doucement (*Gens de la ville*), ou éventuellement à bouche fermée ou sur un son (*Vent frais, vent du matin*). On peut aussi terminer en chantant tous ensemble la première phrase à l'unisson (*Ma doudou m'a dit* ; *Où sont mes petits souliers ?*).

C'est à vous maintenant !

Miaou, miaou I canon ▪ CD 1 ▪ p. 6

De *La Mère Michel* au *Gros chat gourmand* d'Henri Dès, en passant par *Trois petits chats* ou encore *Il était une bergère*, le chat est très présent dans la chanson enfantine. Héros de nombreuses chansons traditionnelles, cet animal a aussi inspiré des auteurs-compositeurs contemporains. Ici, il s'agit du chat de notre portière, celle qui s'occupe de la porte de la maison. Aujourd'hui, on dirait gardienne ou concierge.

Il était un petit chat ▪ CD 2 ▪ p. 7

Cette comptine raconte une véritable histoire, avec trois personnages (le petit chat, la maman et la mouche) et de nombreux rebondissements. L'enfant s'identifie aisément à l'animal, héros de ce conte de mise en garde qui se termine par une réflexion très morale : *Maintenant il écoute sa maman*.

Dans une autre version, la conclusion est plus radicale :

La maman est arrivée
Pan ! Pan ! Pan !
Et le petit chat a frappé
Pauvre petit chat !

Canonchalant I canon ▪ CD 3 ▪ p. 8

Ce très joli canon a été écrit par Pierre Amiot, instructeur puis directeur du secteur musical des CEMEA (Centres d'Entraînement aux Méthodes d'Éducation Active : mouvement national d'éducation nouvelle).

Depuis 1947, il a composé plus de 400 chansons dont *Le Vent de chez nous*, devenu un classique du répertoire des mouvements de jeunesse.

Mon papa, il va au cinéma ▪ CD 4 ▪ p. 10

Cette chanson date des années 1960. Elle a été introduite dans les écoles françaises par des enfants immigrés, réfugiés du Pakistan et du Sud-Est asiatique.

Elle mêle à une fantaisie propre au genre de la comptine une réalité contemporaine, assez peu présente dans ce répertoire.

En effet, depuis son invention en 1895, le cinéma n'a guère inspiré les auteurs de chansons pour enfants. Une des rares comptines écrites sur le sujet l'a été par Gabby Marchand dans les années 1980 :

1, 2, 3, je vais au cinéma
4, 5, 6, l'histoire se passe en Suisse
7, 8, 9, c'est l'histoire d'un chat veuf
Sur une pelouse...

Bubble gum I canon ▪ CD 5 ▪ p. 12

Très populaire dans les écoles, cette chanson signée Jean-Yves Leduc apparaît en 1993 dans le disque *Swing Mômes, les canons qui balancent*.

Né en Amérique en 1869, le chewing-gum a été popularisé en Europe par les soldats américains à la fin de la Seconde Guerre mondiale. Dans les pays anglo-saxons, il a inspiré cette comptine d'élimination :

Bubble gum, bubble gum in a dish
   Chewing-gum, chewing-gum dans un plat
How many pieces do you wish?
   Combien en voulez-vous ?
1, 2, 3, 4, 5, 6, 7, 8, 9

En France, il existe une comptine-express :

Boule de chewing-gum
Va-t'en !

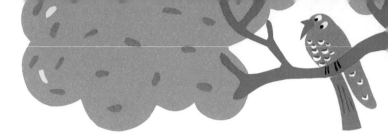

Vent frais, vent du matin I canon ▪ CD 6 ▪ p. 13

Ce canon figure dans tous les recueils de chansons scoutes. Son origine est vraisemblablement anglaise. Il apparaît pour la première fois dans *Pammelia*, recueil publié en 1609 par Thomas Ravenscrof, compositeur connu pour ses canons et ses transcriptions de musiques folkloriques anglaises, comme par exemple :

Hey ho, nobody home
Eh oh, personne à la maison
Meat nor drink nor money have I none
Ni viande, ni boisson, ni argent pour moi
Fill the pot, Edie!
Remplis le pot Eddie !

Il existe aussi une version allemande :

Hejo, spann den Wagen an
Eh oh, attelle la charrette
Denn der Wind treibt Regen übers Land
Car le vent apporte la pluie sur le pays
Hol die goldnen Garben
Va chercher les gerbes dorées

Un grand cerf ▪ CD 7 ▪ p. 14

Il s'agit d'une chanson à mimer très appréciée des petits. En voici la gestuelle :

Dans sa maison
Lever les bras et former le toit avec les mains réunies au-dessus de la tête.
Un grand cerf
Les mains ouvertes derrière la tête, écarter les doigts pour mimer les bois du cerf.
Regardait par la fenêtre
Mettre les mains devant les yeux et les ouvrir comme des volets. Puis, tourner la tête à droite et à gauche.

Un lapin venir à lui
Agiter les mains au-dessus de la tête pour mimer les oreilles du lapin.
Et frapper chez lui
Faire semblant de frapper à une porte.
Cerf! Cerf! Ouvre-moi
Ou le chasseur me tuera
Tendre un bras pour faire le fusil du chasseur et viser autour de soi.
Lapin, lapin, entre et viens
Me serrer la main
Serrer ses deux mains.

Dans la forêt lointaine I canon ▪ CD 8 ▪ p. 15

On aime le coucou parce qu'il annonce le printemps. Et son chant est tellement facile à reconnaître avec ses deux notes caractéristiques ! Il suffit de le nommer pour entendre son cri, et ceci dans presque toutes les langues : il s'appelle *cuculus* en latin, *koekoek* en néerlandais, *kuckuck* en allemand, *cuckoo* en anglais, *cuco* en espagnol, *kukushka* en russe, *kak-ko* en japonais...
Il a inspiré beaucoup de chansons traditionnelles et même des compositeurs de musique classique comme Clément Janequin dans *Le Chant des oiseaux*, Beethoven dans la *Symphonie pastorale*, sans oublier *Le Coucou* de Daquin, devenu un classique de l'apprentissage du piano.
Le coucou est aussi célébré par des chanteurs d'aujourd'hui comme Chantal Goya ou Steve Waring, dans sa chanson *Le Coucou*, adaptée *The Cuckoo*, issue du folklore anglais :

Oh, le coucou, c'est le plus joli de tous les oiseaux
Il annonce les nouvelles, il apporte l'écho
Il boit de la rosée et siffle comme le vent
Mais il ne chante jamais avant le printemps...

Mon petit lapin . CD 9 . p. 16

L'enfant aime à se reconnaître dans ce petit lapin qui joue à cache-cache avec le fermier. Ici, le petit se moque du grand, situation pas si fréquente pour un enfant dans ses rapports avec l'adulte.

On peut facilement s'amuser avec les paroles de cette chanson en mimant les différentes situations : le lapin en se cachant ses yeux avec les mains, le fermier qui frise sa moustache, le lapin qui mange le chou...

Gens de la ville | canon . CD 10 . p. 18

Cette chanson fait partie du répertoire des chorales où on l'utilise comme canon d'échauffement vocal.

En l'écoutant, on ne peut s'empêcher de penser à l'histoire du joueur de flûte de Hamelin des frères Grimm, qui débarrassa la ville des rats en les noyant dans la rivière. Autrefois, tant à la ville qu'à la campagne, les rats faisaient partie de la vie quotidienne de nos ancêtres. Ceux-ci n'aimaient pas, à juste titre, ces rongeurs qui mangeaient leurs provisions et transmettaient la peste. Le rat, comme animal malfaisant, a fait l'objet de nombreuses chansons traditionnelles. Dans les chansons enfantines, il apparaît plutôt comme sympathique et amusant.

Par exemple dans *L'Alouette et le pinson*, chanson originaire du Nivernais :

Par ici passe un gros rat
Un violon dessous son bras
La musique en avons trop
C'est la danse qu'il nous faut

Ou encore dans cette comptine du XXe siècle écrite par Bernard Lortat-Jacob :

Ada a un rat, c'est le rat d'Ada
Il lui fait du plat, c'est le rat plat plat
Un raton laveur, qui va au pressing
Laver ses culottes, c'est pour son standing
C'est un ragondin, qui est né à Pantin
C'est un rat d'égoût qui est né j'sais pas où
Rasmunsen sur le pôle Nord
Faut pas mettre le nez dehors
Rapiécé comme un tapis
Trou d'gruyère et trou d'souris

Un petit bonhomme au bout du chemin
canon . CD 11 . p. 19

Ce petit bonhomme que l'enfant peut imaginer à sa guise, et à qui il s'identifie aisément, est le héros de nombreuses comptines.

En voici une qu'on retrouve dans de nombreuses régions de France, mais aussi en Suisse romande, en Wallonie, dans la région de Bruxelles, à la Réunion...

Un petit bonhomme
Assis sur une pomme
La pomme dégringole
Le petit bonhomme s'envole
Sur le toit d'un maître d'école

Et en Louisiane, sur l'air de *J'ai du bon tabac* :

Un petit bonhomme pas plus haut qu'un rat
A battu sa femme comme un scélérat
En disant madame ça vous apprendra
De voler mes pommes quand je suis pas là

Une souris verte . CD 12 . p. 20

Déjà connue au XVIIIe siècle, cette souris verte serait à l'origine une «souricette». On la chante sous différentes formes dans 38 régions de France mais on la trouve aussi dans la région bruxelloise, en Suisse romande, en Haïti, en Tunisie...
Un petit cochon remplace parfois la souris dans une version un peu plus coquine :

> *Je vais à Charenton*
> *J'achète un petit cochon*
> *J' le mets dans mon chapeau*
> *Mais il a bien trop chaud*
> *J' le mets dans mes souliers*
> *Mais il est trop serré*
> *J' le mets dans ma culotte*
> *Il mange ma p'tite carotte*

Arlequin dans sa boutique

CD 13 . p. 23

Cette chanson est une sauteuse, destinée à faire sauter les enfants sur les genoux. Elle a été écrite sur un air de contredanse du XVIIIe siècle et figure dans un recueil publié en 1846 (*Rondes et chansons enfantines* de Du Mersan).
Comme ses compères Polichinelle et Pierrot, Arlequin, valet de comédie, est d'abord un personnage de la *Commedia dell'arte* avant d'apparaître dans les théâtres de marionnettes.
Dès 1746, ces personnages se retrouvent sous forme de pantins de carton aux membres articulés, jouets très populaires auprès des enfants.
On retrouve Arlequin et Polichinelle dans bien d'autres chansons et comptines :

> *Arlequin marie sa fille*
> *La petite Pétronille*
> *Il la marie à Pierrot*
> *La ri guinguette*
> *La ri guingo*
>
> *Pan, qui est-c' qu'est là ?*
> *C'est Polichinelle, Mamz'elle*
> *Pan, qui est-c' qu'est là ?*
> *C'est Polichinelle que v'là !*
>
> *Polichinelle*
> *Monte à l'échelle*
> *Un peu plus haut*
> *Se casse le dos*
> *Un peu plus bas*
> *Se casse le bras*
> *Trois coups de bâton*
> *En voici un*
> *En voici deux*
> *En voici trois*

Où sont mes petits souliers ? I canon

CD 14 . p. 24

Cette chanson d'Henri Dès figure dans son disque *Le Beau Tambour*, paru en 1986. Le chanteur a écrit d'autres canons parmi lesquels *Une marguerite* :

> *Voici pour toi maman*
> *Une petite fleur des champs*
> *Une marguerite*
> *Toute petite*
> *Voici pour toi maman*
> *Une petite fleur des champs*

Tic, tac | canon . CD 15 ▪ p. 26

Le temps est une notion abstraite, difficile à concevoir par des petits enfants. Heureusement, les horloges et les pendules qui le mesurent sont, elles, tout à fait concrètes. Leur tic tac donne lieu à des jeux de rythme et de prononciation qui délient la langue et sur lesquels on peut éventuellement improviser. On peut y faire l'expérience de la polyrythmie, au cœur de nombreuse musiques populaires.

Tic, tac, toc
On dirait qu'un très vieux coq
Se cache dans le balancier
Tic, tac, toc
Crac et croque du manioc

Tic, tac, tic, tac, je suis réveillé
Tic, tac, tic, tac, je veux me lever
J'entends la pluie qui pianote
J'entends mon gros chien qui trotte
La pendule qui tricote
Tout le monde fait des fausses notes
Tic, tac, tic, tac, je suis réveillé
Tic, tac, tic, tac, je veux me lever

Les pendules font
Tic, tac, tic, tac, tic, tac
Les petites pendulettes font
Tic tac, tic tac, tic tac
Mais les montres font
Tique taque, tique taque

Quelle heure est-il, madame Persil ?
CD 16 ▪ p. 27

Cette comptine, écrite sur un timbre de carillon, c'est-à-dire une mélodie jouée par un clocher d'église ou de beffroi, est faite pour accompagner un jeu de balle au mur. On lance la balle sur un mur et on la rattrape, tandis que la comptine rythme le mouvement du joueur. Sa forme de dialogue permet de la chanter à deux et d'inventer des variantes à l'infini.

Quelle heure est-il ?
Une heure et demie
Qui l'a dit ?
La petite souris
Où donc est-elle ?
Dans la chapelle
Que fait-elle ?
Des dentelles
Pour qui ?
Pour les dames de Paris
Qui portent des souliers gris

En Belgique, on remplace les deux derniers vers par :
Pour Monsieur, pour Madame
Et pour la reine d' Espagne

On peut retrouver des variantes de cette comptine dans *Quelle heure est-il, madame Persil*, de Nathalie Léger-Cresson et Isabelle Chatellard, publié dans la collection « Les P'tits Didier », éditions Didier Jeunesse.

Au feu les pompiers . CD 17 . p.28

Cette chanson est à ranger dans la même catégorie que *Encore un carreau d'cassé* : il n'est pas plus permis de casser une vitre que de jouer avec des allumettes. Ces chansons permettent de transgresser des interdits : les enfants peuvent faire dans l'imaginaire ce qui est interdit dans la réalité. Ils chantent ces textes avec une jubilation d'autant plus grande que ce sont des adultes, et pas n'importe lesquels, qui sont coupables :

C'est pas moi qui l'ai brûlée
C'est sœur Marinette
C'est pas moi qui l'ai brûlée
C'est monsieur l'curé*

*Les différents couplets de cette chanson ont été imaginés par Élodie Nouhen, pour l'album *Au feu les pompiers*, paru dans la collection « Pirouette », éditions Didier Jeunesse.

L'Inspecteur mène l'enquête I canon
CD 18 . p.30

Cette chanson a été écrite par Éric Noyer, formateur et chef de chœur, et composée par Ricks Veenker, un instituteur hollandais. Ce canon aux sonorités jazzy est très apprécié dans les écoles primaires et renouvelle le répertoire enfantin.

La famille Tortue . CD 19 . p.32

La tortue est quasiment absente du répertoire populaire français. Cette chanson du XXe siècle a été écrite par l'abbé Léon-Robert Brice, curé de Champagnat (Saône-et-Loire) de 1936 à 1972, et auteur d'une centaine de comptines. Très populaire chez les scouts et dans les colonies de vacances, elle est utilisée comme chanson de marche.

Une poule sur un mur I canon
CD 20 . p.33

Il existe beaucoup de variantes pour cette comptine très populaire en France métropolitaine, à la Réunion et dans les pays francophones : Québec, Suisse romande... On la chante sur des airs différents et ses paroles varient : dans la région de Bruxelles, la poule peut être remplacée par un coq ou une tourterelle. Elle peut aussi indifféremment lever la patte, la queue, une aile et même le pied. Ce qui ne varie pas, c'est le *picoti, picota* et la gestuelle qui l'accompagne : on réunit le pouce et l'index et avec la pointe ainsi formée on picote le creux de la main, geste qui apprend à l'enfant à se servir de ses doigts et lui servira plus tard pour tenir un crayon.

C'est la cloche du vieux manoir I canon
CD 21 . p.34

Voici l'un des canons les plus connus du répertoire francophone. Nombre de nos chansons traditionnelles reprennent des airs de carillons. Le thème de la cloche se retrouve tout naturellement dans beaucoup de canons, notamment dans *Frère Jacques* (qui sonne les matines) mais aussi dans :

Maudit sois-tu carillonneur
Toi qui naquis pour mon malheur !
Dès le point du jour à la cloche il s'accroche
Et le soir encore carillonne plus fort
Quand sonnera-t-on la mort du sonneur ?

Ou dans *Le Clocher de Dampierre* :

Sonnez donc, oh! clocher de Dampierre
Sonnez donc, oh! joyeux carillon
Sous votre toit tout couvert de lierre
Sonnez donc vos joyeux carillons

Ding, ding, dong
Ding, dong

Et encore dans *Les Cloches de Notre-Dame* :

Quand les cloches de Notre-Dame
Quand les cloches de Notre-Dame vont
Les unes font digue dondaine
Les autres font digue, dong, dong
Le bourdon fait dong
Quand les cloches de Notre-Dame vont

1, 2, 3, je m'en vais au bois . CD 22 . p.35

Les comptines, c'est le plaisir de mettre en bouche les mots et les sonorités de la langue, mais c'est aussi une façon ludique pour les petits enfants d'apprendre un vocabulaire et des notions de base : les lettres de l'alphabet, les jours de la semaine, les notes de musique, les chiffres... Les éducateurs ne s'y sont pas trompés, eux qui ont popularisé depuis l'Ancien Régime les formulettes qui servent à l'apprentissage des lettres ou de l'alphabet. Il s'agit dans celle-ci de favoriser l'apprentissage de la numération en base douze.

Les comptines numériques sur le même modèle qu'*1, 2, 3, je m'en vais au bois* sont très répandues.

1, 2, 3, les petit soldats
4, 5, 6, qui font l'exercice
7, 8, 9, qui font la manœuvre
10, 11, 12, ils ont le nez rouge

D'autres comptines numériques construites sur le même modèle sont beaucoup moins sages :

1, 2, 3, mon père fouettez-moi
4, 5, 6, levez ma chemise
7, 8, 9, tapez comme un bœuf
10, 11, 12, mes fesses sont toutes rouges

On peut leur préférer ces paroles plus ludiques qu'on chante dans les Flandres françaises, en Wallonie et à Bruxelles :

1, 2, 3, madame Leroy
4, 5, 6, madame Cerise
7, 8, 9, madame Lebœuf
10, 11, 12, Minnekepouce

Frère Jacques I canon . CD 23 . p.36

Encore une mélodie du XVIIIᵉ siècle écrite sur un air de carillon. Mais pourquoi donc le moine sonneur s'appelle-t-il Jacques ? Sans doute ce prénom fait-il référence aux jacobins, communauté religieuse de dominicains, ainsi nommés parce qu'ils édifièrent leur couvent près de l'église Saint-Jacques à Paris. Ils avaient la réputation de mener joyeuse vie et de se coucher tard : c'est pourquoi le frère Jacques de la chanson a tant de mal à se lever pour sonner l'office des matines (entre minuit et le lever du soleil).
Mais il existe une autre explication, et celle-ci ne concerne que les adultes : *Frère Jacques dormez-vous ?* pourrait être l'injonction d'une épouse insatisfaite à un mari peu réveillé. La chanson est proposée ici en anglais et en allemand, mais elle se chante dans une quarantaine de langues, de l'arabe au breton, en passant par le coréen ou le russe. Une telle diffusion est due à la redoutable efficacité de la communauté jésuite, répandue à travers le monde.

On trouvera de nombreuses versions de cette chanson dans les livres-disques de la collection « Comptines du monde » : en sängö dans *Comptines et berceuses du baobab*, en chinois et vietnamien dans *Comptines et berceuses des rizières*, ou encore en tamoul dans *Comptines de roses et de safran*.

Sur le plancher, une araignée ▪ CD 24 ▪ p. 38

Cette comptine est originaire de la région de Gap, mais on en trouve une version similaire dans la région bruxelloise. Tout est possible dans les comptines : on y trouve aussi bien un petit bonhomme assis sur une pomme que des petits lapins, la pipe à la bouche, le verre à la main. Cette image d'une araignée en train de tricoter des bottes est aussi drôle qu'absurde. C'est le type même de comptine qui a séduit les écrivains surréalistes par sa cocasserie, comme le poète Philippe Soupault. En 1957, alors animateur d'une émission de radio, il lance un appel à tous les auditeurs francophones pour recueillir des comptines. Il en recevra 8 000. Ce collectage aboutira, en 1961, à l'édition de l'anthologie *Comptines de langue française* (Seghers) qui reste encore aujourd'hui un ouvrage de référence.

Il existe d'autres comptines sur les araignées, comme par exemple :

Les araignées sortent le dimanche
Maman l'a vu
Papa l'a dit
Lundi mardi
Jeudi dimanche
Elles se tenaient toutes
Par la manche
Catherine sauve-toi
Si je t'attrape
Tant pis pour toi

Les clochettes de mon pays ▎ canon
CD 25 ▪ p. 40

Voici encore un canon inspiré par des cloches, ici des clochettes de Noël. Il a été écrit sur l'air de *À la danse allons courons*.

Ma doudou m'a dit ▎ canon ▪ CD 26 ▪ p. 41

Avec les comptines, le petit enfant déguste les mots comme une gourmandise et se régale avec les allitérations. Celles qui jouent sur le *D* évoquent tendresse et sommeil, peut-être parce qu'elles sont intimement liées à des mots comme dodo, doux, doudou.

Si le mot doudou désigne une jeune femme aimée aux Antilles, c'est aussi un objet, couverture, peluche ou étoffe qui rassure l'enfant, celui qu'il emporte dans son lit pour s'endormir.

Meunier, tu dors ▪ CD 27 ▪ p. 42

L'air de cette chanson remonte au début du XVIIIe siècle. Dans sa version d'origine destinée aux adultes, c'est la meunière qui fait semblant de dormir pour mieux se laisser séduire. Le personnage du meunier serait apparu plus tard, pour convenir aux besoins du répertoire enfantin.

On peut associer des gestuelles à cette chanson :

Meunier, tu dors

Incliner la tête sur les mains jointes et posées sur l'épaule.

Ton moulin va trop vite

Faire un moulinet avec ses deux mains.

Ton moulin va trop fort

Accélérer le mouvement.

On peut compliquer la chose en faisant tourner alternativement les mains à l'endroit et à l'envers.

Yo ma yo masari I canon ▪ CD 29 ▪ p. 45

Cette chanson figure dans le recueil *Chansons pour les vacances* (Éditions À Cœur Joie). Elle est signée Jos Wuystack, musicien belge né à Gand en 1935, qui a introduit en France la méthode Orff, pédagogie musicale active initiée par le compositeur Carl Orff.

Les paroles de cette chanson sonnent phonétiquement japonais, mais elles n'ont pas plus de signification que notre *Am stram gram*. Les enfants ont toujours aimé reprendre à leur compte des refrains en pseudo langue étrangère ou des comptines qui ne signifient rien. Les poètes aussi, comme Victor Hugo qui a composé celle-ci :

Mirlababi, surlababo
Mirliton ribon ribette
Mirlababi, surlababo
Mirliton ribon ribo

Do, ré, mi, la perdrix ▪ CD 28 ▪ p. 44

Chanter cette comptine est une façon amusante d'apprendre les notes de musique. Il en existe d'autres pour monter (et parfois descendre) la gamme, comme celle-ci :

Do ré mi fa sol la si do
Gratte-moi la puce que j'ai dans le dos
Si tu me l'avais grattée plus tôt
Elle n' m'aurait pas piqué le dos

Ou encore :

Elle ne s' rait pas montée si haut

On peut mimer la puce de la chanson avec les doigts qui courent sur le dos.

Ou encore celle-ci :

Do ré mi fa sol
Toutes les femmes sont folles
Excepté ma bonne
Qui fait cuire des pommes
Dans une vieille casserole
Qui sent le pétrole

Dans la collection *Les p'tits lascars*

Les jeux chantés | 0-3 ans

Pour s'amuser avec son bébé et l'aider à découvrir son corps.
42 comptines et jeux de doigts à mimer.
Le best des crèches et des maternelles.

Les premières comptines | 0-3 ans

Pour initier les plus petits à la musique
et au plaisir de chanter dès le plus jeune âge.
33 comptines, chansons, berceuses et formulettes :
la formule idéale pour une première initiation à la musique.

Les plus belles comptines de notre enfance | 3-6 ans

Pour retrouver le doux parfum de l'enfance
avec ces classiques enregistrés il y a 25 ans.
Les comptines préférées des années maternelle,
enregistrées par des enfants et leur maîtresse,
accompagnés à la flûte et à la guitare.

Pour écouter des extraits audio et recevoir notre catalogue : **www.didierjeunesse.com**